Henriette Wich

Heute gehe ich zur Feuerwehr

Mit Bildern von Jörg Hartmann

ellermann im Dressler Verlag GmbH · Hamburg

Viele Arbeit für die Feuerwehr

»Tatütata!«, macht Jan. Sein Spielzeug-Feuerwehrauto rast
durchs Kinderzimmer.
Da kommt Papa herein. »Na, wo brennt es denn?«
Jan zeigt auf den Boden. »Die Stinkesocken brennen. Schnell,
Wasser marsch!«
Papa rollt den Schlauch aus, und Jan fährt die Drehleiter hoch.
Fünf Sekunden später ist das Feuer gelöscht.

»Toller Einsatz!«, sagt Papa.

Jan lacht. »Ich will doch Feuerwehrmann werden, genau wie du. Was machst du eigentlich den ganzen Tag bei der Feuerwehr?«

»Wir haben viel zu tun«, antwortet Papa. »Wenn ein Haus brennt, löschen wir das Feuer und retten Menschen, die in Gefahr sind. Wir holen aber auch Autos aus dem Graben. Bei Überschwemmungen bringen wir die Menschen mit Booten in Sicherheit. Und wenn in einem See eine giftige Flüssigkeit ist, warnen wir die Menschen davor. Insgesamt hat die Feuerwehr vier große Aufgaben.«

»Was sind das für Aufgaben?«, fragt Jan.

»Retten, Löschen, Bergen und Schützen«, sagt Papa.

»Retten, Löschen, Bergen und Schützen«, wiederholt Jan. Dann runzelt er die Stirn. »Was ist Bergen?«

»Bergen heißt, Gegenstände in Sicherheit bringen«, erklärt Papa. »Zum Beispiel einen Öltanker, der auf Grund gelaufen ist.«

Papa gibt Jan einen Aufkleber. »Hier, der ist für dich.«

»Da sind ja die vier Aufgaben drauf!«, freut sich Jan.

Papa nickt. »Ja, genau.«

»Nimmst du mich mal mit zur Feuerwehr?«, fragt Jan.

»Klar«, sagt Papa. »Morgen hab ich frei. Da zeig ich dir unsere Feuerwache.«

»Au ja!«, jubelt Jan.

Im Gerätehaus

Am nächsten Tag stehen Papa und Jan extra früh auf und fahren
zusammen zur Feuerwache. Papa führt Jan in eine riesige Halle.
»Wo sind wir hier?«, fragt Jan.
»Das ist unser Feuerwehrgerätehaus«, antwortet Papa. »Hier treffen
sich morgens alle Feuerwehrleute, und der Wachleiter sagt jedem, auf
welchem Fahrzeug er heute mitfährt.«
»Und was passiert dann?«, fragt Jan.

»Dann ist Fahrzeugübernahme«, sagt Papa. »Das bedeutet, die Fahrzeuge werden noch mal überprüft.«

Jan guckt sich die Fahrzeuge genauer an. Vor einem großen Fahrzeug bleibt er stehen. »Was ist das?«

»Das ist ein Löschgruppenfahrzeug«, erklärt Papa. »Da passen neun Feuerwehrleute hinein, und es hat einen großen Tank. In dem sind über tausend Liter Wasser.«

Neben dem Löschgruppenfahrzeug steht ein kleineres Auto. »Und was ist das?«, fragt Jan.

»Das ist ein Einsatzleitwagen«, sagt Papa. »Der fährt voraus und zeigt den anderen Feuerwehrautos den schnellsten Weg zum Einsatzort.«

Jan entdeckt einen Kleinbus. »Und was ist das für ein Fahrzeug?«

»Ein Rettungswagen«, antwortet Papa. »Den fahren Feuerwehrrettungsassistenten. Wenn jemand verletzt ist, können sie ihn gleich vor Ort behandeln.«

»Gibt es noch andere Fahrzeuge?«, will Jan wissen.

»Natürlich«, sagt Papa. »Die Feuerwehr ist zum Beispiel auch im Wasser im Einsatz. Dafür gibt es Löschboote.«

Jans Augen leuchten. »Toll!«

Spannende Ausrüstung

Nach der Fahrzeugübernahme verlassen die Feuerwehrleute wieder das Gerätehaus.

»Und wo gehen die jetzt hin?«, fragt Jan.

Papa erklärt es: »Weil gerade kein Einsatz ist, gehen sie in ihre Büros und Werkstätten. Dort arbeiten sie zum Beispiel als Schreiner, Maurer, Fotografen oder Mechaniker in der Kfz-Werkstatt.«

»Hier gibt es eine richtige Autowerkstatt?«, fragt Jan.

Papa antwortet: »Ja, dort werden die Feuerwehrautos überprüft, gereinigt und repariert, damit sie schnell wieder einsatzbereit sind.«

»Da will ich hin!«, sagt Jan.

Auf dem Weg kommen sie an der Schlauchwerkstatt vorbei. Brandmeister Tom steht vor einer Maschine und fädelt einen Schlauch ein.

»Was machst du da?«, fragt Jan.

»Ich habe den Wasserschlauch gerade sauber gemacht«, erklärt Tom. »Jetzt zieht ihn diese Maschine in den Schlauchturm hinauf. Dort kann er trocknen.«

»Ganz schön lang der Schlauch!«, staunt Jan. »Gehen wir jetzt zur Kfz-Werkstatt?« Papa nickt.

»Ich komme mit!«, sagt Tom. In der Kfz-Werkstatt zeigt er Jan und Papa ein Löschgruppenfahrzeug. »Mein Kollege füllt neues Wasser in den Tank und überprüft die Ausrüstungsgegenstände.«

Jan zeigt auf ein Gerät aus Metall mit drei kurzen Rohren.

»Was ist das?«

»Das ist ein Verteiler«, sagt Tom. »Daran kann man drei Wasser-
schläuche anschließen, und so können drei Feuerwehrleute gleichzeitig
löschen.«

Jan entdeckt eine gelbe Flasche mit schwarzen Bändern. »Ist das ein
Feuerlöscher?«

Tom schüttelt den Kopf. »Nein, ein Atemschutzgerät. Das schnallt
man sich um, wenn es in einem geschlossenen Raum viel Rauch
gibt und man frische Luft zum Atmen braucht.«

Jan berührt ein Gerät, das wie eine Zange aussieht. »Und was ist das?«

»Ein Spreizer«, sagt Tom. »Manchmal gehen nach
einem Unfall die Autotüren nicht mehr richtig
auf. Mit dem Spreizer kann man sie auf-
stemmen.«

»Und das ist ein Warndreieck!«, weiß Jan.
»Damit die Leute bei einem Unfall außen
um das kaputte Auto herumfahren.«

»Sehr gut!«, lobt Tom.

Kleidung für jeden Einsatz

»Kannst du in der Feuerwache auch schlafen?«, fragt Jan seinen Papa.
»Klar«, sagt Papa. »Du weißt ja: Wenn ich morgens zur Arbeit gehe,
komme ich immer erst am nächsten Morgen zurück. Und wenn es in
der Nacht keinen Einsatz gibt, schlafe ich natürlich. Komm, ich zeig
dir den Ruheraum.«
Im Ruheraum stehen mehrere Betten nebeneinander. Vor jedem Bett
liegen schwarze Kleider. »Was sind das für Sachen?«, will Jan wissen.
»Das sind unsere Feuerwehruniformen«, antwortet Papa. »Sie müssen
immer griffbereit sein, deshalb liegen sie direkt beim Bett. Sobald der
Alarm losgeht, müssen wir uns ganz schnell anziehen.«

Jan fragt: »Habt ihr auch noch andere Uniformen?«

»Ja«, sagt Papa, »bei manchen Einsätzen brauchen wir Kleidung, die uns besonders gut schützt. Die ist aber nicht hier, sondern in den Fahrzeugen, damit wir sie unterwegs gleich anziehen können, zum Beispiel den Hitzeschutzanzug.«

»Wofür brauchst du den?«, fragt Jan.

»Mit dem Hitzeschutzanzug kann ich Menschen mitten aus den Flammen retten«, erklärt Papa.

Jan staunt. »Und was gibt es sonst noch?«

»Manchmal trage ich auch einen Chemikalienschutzanzug«, sagt Papa. »Damit kann ich mich vor giftigen Gasen und gefährlichen flüssigen Stoffen schützen. Der Anzug ist absolut dicht, da kommt nicht mal Luft durch.«

Jan erschrickt. »Aber du musst doch atmen!«

»Keine Sorge«, sagt Papa. »Innen im Anzug ist ein Pressluftatmer, der versorgt mich mit Luft.«

Jan guckt seinen Papa stolz an. »Du machst aber spannende Sachen!«

Papa lächelt. »Danke.«

Da kommt Oberbrandmeister Felix in den Ruheraum. »Hallo, ihr zwei! Ich geh jetzt in die Kantine. Habt ihr auch Hunger?«

Jan reibt sich den Bauch. »Und wie!«

Notruf in der Einsatzzentrale

Nach dem Essen muss Felix in die Einsatzzentrale.

»Darf ich mit?«, fragt Jan.

»Gern«, sagt Felix. »Ich habe noch ein paar Minuten Zeit, bevor meine Arbeit beginnt.«

In der Einsatzzentrale gibt es viele Knöpfe und Schalter, Bildschirme und Telefone. Und an der Wand hängt ein großer Stadtplan.

»Was passiert eigentlich in der Einsatzzentrale?«, fragt Jan.

»Hier gehen alle Notrufe ein, und wir leiten sie dann schnell an die Feuerwehrleute weiter«, antwortet Felix.

Jan guckt sich den Stadtplan an. »Und wozu ist der da?«

Felix erklärt es: »Wenn ein Notruf eingeht, blinkt zuerst die rote Lampe dort an der Wand, und die Sirene heult. Kurz darauf leuchtet auf dem Stadtplan die Straße auf, wo die Feuerwehrleute hinfahren müssen.«

»Toll!«, sagt Jan. »Und wie geht es dann weiter?«

Felix zeigt Jan das Mikrofon. »Ich gebe sofort über Lautsprecher durch, was passiert ist und wie viele Feuerwehrleute für den Einsatz gebraucht werden.«

»Und dann müssen die Feuerwehrleute schnell zu den Rutschstangen, oder?«, sagt Jan.

Felix nickt. »Richtig. Da rutschen sie dann herunter und sind sofort bei den Fahrzeugen. Jetzt zählt jede Sekunde, denn eine Sekunde kann Menschenleben retten.«

»Und was machst du, wenn die Feuerwehrautos losgefahren sind?«, will Jan noch wissen.

»Ich bleibe über Funktelefon in Verbindung mit dem Einsatzleiter und gebe Informationen durch«, antwortet Felix.

»Welche Informationen?«, fragt Jan.

Felix sagt: »Manchmal erfahre ich in der Zwischenzeit etwas Neues über den Einsatzort. Dass es dort zum Beispiel nicht nur brennt, sondern dass auch noch Gift ausgelaufen ist.« Felix löst seine Kollegin ab und setzt sich an seinen Arbeitsplatz. »Jetzt hab ich leider keine Zeit mehr für euch.«

»Tschüss, Felix!«, sagt Jan.

»Tschüss, Jan!«, sagt Felix.

Da blinkt auch schon die rote Lampe an der Wand. Ein Notruf!

Die Feuerwehr im Kindergarten

Am nächsten Tag ist Jan im Kindergarten. Plötzlich fährt ein
Feuerwehrauto auf den Hof.

»Das ist Papa!«, ruft Jan und springt auf.

Die Erzieherin geht mit den aufgeregten Kindern hinaus in den Hof.

Papa und Feuerwehrfrau Franka steigen aus dem Feuerwehrauto.

»Hallo, Kinder!«, sagt Franka. »Wir wollen euch heute etwas über
die Feuerwehr erzählen.«

»Was ist das denn für ein Fahrzeug?«, fragt Jan.

»Und was ist da alles drin?«, will Leonie wissen.

»Das ist ein Kleinalarmfahrzeug«, sagt Papa und öffnet das Rollo an
der Seite. Franka zeigt den Kindern die Ausrüstung. Die Atemschutz-
geräte kennt Jan schon. Aber den komischen Staubsauger hat er noch
nie gesehen.

»Das ist ein Elektrosauger«, sagt Franka. »Damit können wir zum Beispiel Wasser aus überschwemmten Kellern einsaugen.«

Papa und Franka zeigen den Kindern alles ganz genau. Danach gehen sie zusammen hinein und machen einen Stuhlkreis.

»Wer weiß denn, wie man einen Notruf abgibt?«, fragt Papa.

Jan meldet sich sofort. »Ich wähle 112 und sage meinen Namen, meine Straße und die Hausnummer. Dann erzähle ich kurz, was passiert ist und wie es jetzt dort aussieht.«

»Richtig«, sagt Papa. »Merkt euch die drei Ws: Wer ruft an? Wo ist der Anrufer gerade? Was ist passiert? Wer? Wo? Was?«

»Wer? Wo? Was?«, wiederholen die Kinder im Chor.

»Sehr gut! Und was tut ihr, wenn hier im Zimmer ein Feuer ausbricht?«, fragt Franka.

Leonie ist schneller als Jan: »Sofort rausrennen in den Garten!«

»Genau«, sagt Franka. »Und was macht ihr, wenn ganz viel Rauch im Zimmer ist?«

Jan überlegt, aber ihm fällt nichts ein.

Da meldet sich Stefan. »Auf dem Boden rauskriechen?«

»Sehr gut!«, sagt Franka. »Rauch steigt nämlich nach oben, und unten am Boden ist die Luft noch am besten.

Aber jetzt üben wir erst mal, wie schnell ihr bei einem Feueralarm draußen seid.«

»Feuer!«, schreit Papa.

Jan rennt als Erster los.

Training für den Ernstfall

Heute hat Papa wieder frei und nimmt Jan mit zur Feuerwache.
»Willst du unseren Trainingsraum mal sehen?«, fragt Papa.
»Au ja!«, sagt Jan. »Was macht ihr denn da?«
»Wir treiben regelmäßig Sport«, sagt Papa. »Feuerwehrleute müssen immer topfit sein. Im Ernstfall müssen sie sehr schnell rennen und schwimmen können und schwere Lasten tragen.«
Der Trainingsraum sieht aus wie eine Sporthalle. Viele Fitnessgeräte stehen herum. Ein Feuerwehrmann sitzt auf einem Fahrrad und tritt kräftig in die Pedale, ein anderer schwitzt auf einem Laufband, und ein dritter macht Klimmzüge.
Da entdeckt Jan zwei Feuerwehrmänner, die sich mit Atemschutz-geräten durch enge Drahtkäfige schlängeln. »Warum machen die das?«, fragt er verwundert.
»Manchmal ist es sehr eng am Einsatzort«, erklärt Papa.
»Wenn es zum Beispiel in einem Keller brennt oder auf einem Dachboden. Trotzdem müssen wir dann sehr schnell sein, und das üben die beiden.«

»Das macht bestimmt Spaß!«, sagt Jan.

Papa lächelt. »Ja, das finde ich auch. Aber Sport finden nicht alle toll, die zur Feuerwehr wollen. Einige stöhnen schon beim Sporttest am Anfang.«

»Was ist ein Sporttest?«, fragt Jan.

Papa antwortet: »Bei diesem Test musst du laufen, schwimmen und tauchen. Du machst Weitsprünge, Klimmzüge und hebst Gewichte. Und nur wenn du für alle Sportarten gute Noten bekommst, darfst du bei der Feuerwehr anfangen.«

Jan hebt eine kleine Hantel hoch. »Ich fange jetzt schon an zu üben! Dann mache ich später den Sporttest mit links!«

Brand im Lagerhaus

Am nächsten Abend ist Vollmond.
Jan steht im Schlafanzug am Fenster
und guckt den Mond an. Auf einmal
sieht er, wie ein paar Häuser weiter
schwarzer Rauch aufsteigt. Sofort holt
er Papa und zeigt ihm den Rauch.

»Es brennt!«
»Das ist das alte Lagerhaus in der Sonnenstraße 3«, sagt Papa.
»Willst du bei der Feuerwehr anrufen und den Notruf abgeben?«
Jan nickt aufgeregt. Papa gibt ihm das Mobiltelefon, und Jan wählt
schnell die 112. »Hallo, hier ist Jan Neitzel«, sagt er. »Drüben im
Lagerhaus in der Sonnenstraße 3 brennt es.«
»Wir kommen sofort«, sagt der Feuerwehrmann am anderen
Ende der Leitung.
Bereits sechs Minuten später rückt die Feuerwehr an. Fünf
Feuerwehrleute springen aus den Autos, rollen die Schläuche aus
und schließen sie an den Verteiler an. Schon schießt das Wasser
aus den Schläuchen heraus.
Der Rauch wird weniger. Bald ist er ganz verschwunden.
»Sie haben das Feuer gelöscht!«, jubelt Jan.
»Ja, das ging schnell«, sagt Papa. »Zum Glück steht das
Lagerhaus schon lange leer, und keiner wohnt dort.«

Jan denkt nach. »Aber was ist, wenn es brennt und die Menschen nicht mehr aus dem Haus herauskönnen?«

»Dann retten natürlich die Feuerwehrleute die Menschen«, antwortet Papa. »Sie brechen die Haustür auf und befreien die Leute in den unteren Wohnungen. Sie fahren die Drehleiter aus und bringen auch die Bewohner der oberen Wohnungen in Sicherheit. Und ein Rettungswagen fährt die Verletzten sofort ins Krankenhaus.«

Jan fällt ein Stein vom Herzen.

»Aber hier gibt es ja zum Glück keine Verletzten!«

Vorsicht, Hochwasser!

Eine Woche später sitzen Papa und Jan vor dem Fernseher. In den
Nachrichten werden Bilder von einem reißenden Fluss gezeigt.
Der Nachrichtensprecher berichtet: »Die Regenfälle lassen nicht nach.
Das Hochwasser breitet sich weiter aus.«
»Was ist Hochwasser?«, fragt Jan.
Papa erklärt es: »Wenn es sehr viel regnet, kommt immer mehr
Wasser in die Flüsse. Das Wasser steigt höher und höher und über-
schwemmt schließlich das Land.«
Jan schluckt. »Hoffentlich kommt bald die Feuerwehr!«
»Die ist schon da!«, beruhigt Papa ihn. »Siehst du sie?«
Jan nickt. »Was haben die denn für Säcke dabei?«
»Die sind mit Sand gefüllt«, antwortet Papa. »Damit bauen die Feuer-
wehrleute Mauern, um das Wasser von den Häusern fernzuhalten.«

»Und was ist mit den Häusern, die schon unter Wasser stehen?«, fragt Jan.

»Dort retten sie mit Schlauchbooten die Menschen und Tiere«, sagt Papa.

Jan sieht eine Feuerwehrfrau, die ein rotes Gerät trägt. »Was ist das denn?«

»Eine tragbare Pumpe«, sagt Papa. »Damit pumpt die Feuerwehrfrau das Wasser aus den Kellern.«

Jan entdeckt neben den Feuerwehrleuten in ihren schwarzen Anzügen auch noch andere Leute, die helfen. »Wer ist das?«

Papa weiß es: »Das sind Leute von der Bundeswehr, von der Freiwilligen Feuerwehr und von den Technischen Hilfsdiensten. Das Hochwasser ist so groß, das schafft die Feuerwehr nicht alleine. Zum Glück gibt es viele Freiwillige, die mithelfen.«

Unfall auf der Autobahn

Jan und Papa fahren mit dem Auto in die Stadt. Jan freut sich schon riesig. Papa will ihm nämlich ein Feuerwehrkostüm kaufen. Plötzlich werden die Autos vor ihnen immer langsamer. Bald geht gar nichts mehr. Auch Papa muss stehen bleiben.

»Warum geht es nicht weiter?«, fragt Jan.

»Ein Stau!«, stöhnt Papa und greift zu seinem Handy. »Hallo, Tom! Was ist denn auf der A9 los?« Papa hört zu, nickt und legt auf.

»Es gab einen Unfall in der Nähe. Ein Auto und ein Laster sind zusammengestoßen.«

Die Autos fahren rechts und links an den Rand. In der Mitte ist jetzt viel Platz.

»Warum tun die das?«, fragt Jan.

»Damit die Feuerwehr gut durchkommt«, sagt Papa.

Plötzlich macht es: »Tatütata!«

Da braust auch schon der Rettungswagen vorbei.

Jan ahnt, was das bedeutet. »Es gibt Verletzte, oder?«

Papa nickt. »Ja, aber mach dir keine Sorgen! Die Notärzte kümmern sich um die Verletzten und bringen sie sofort ins Krankenhaus.«

Da fällt Jan etwas ein. »Kann es bei einem Unfall auch brennen?«

»Ja«, sagt Papa. »Autos können in Brand geraten, und die Feuerwehr muss das Feuer schnell löschen. Manchmal läuft auch Öl aus einem Auto. Dann streuen die Feuerwehrleute ein Bindemittel, damit die anderen Fahrzeuge nicht ins Schleudern geraten.«

Die Autos vor ihnen fahren langsam wieder los. Der Stau löst sich auf.
»Hoffentlich ist niemand schlimm verletzt«, sagt Jan.
Papa nickt. »Das hoffe ich auch. Na, freust du dich schon auf dein
Feuerwehrkostüm?«
»Feuerwehrkostüm?«, fragt Jan. Das hat er vor lauter Aufregung glatt
vergessen.

Sturm in der Nacht

In der Nacht wacht Jan auf. Der Wind heult ums Haus und zerrt an den Rollos. Da kommt Papa herein.

»Ist das ein Sturm?«, fragt Jan.

Papa nickt. »Ja, aber du brauchst keine Angst haben. Hier bei uns ist der Sturm nicht so stark, und außerdem ist unser Haus sicher. Aber im Norden der Stadt ist der Sturm stärker. Deswegen muss ich gleich zum Einsatz.«

Jan richtet sich im Bett auf. »Was machst du denn gegen den Sturm?«

»Das erzähl ich dir morgen«, sagt Papa. »Jetzt muss ich schnell los, und du musst schnell schlafen.«

Am nächsten Morgen wacht Jan ganz früh auf. Der Sturm ist vorbei. Jan schlüpft zu Papa ins Bett. »Also, was hast du gestern gemacht?«

Papa gähnt. »Das war eine lange Nacht. Erst mal haben wir große Scheinwerfer aufgestellt, damit wir genug sehen konnten. Es gab viele Sturmschäden. Bei einigen Häusern sind Dachziegel locker geworden oder heruntergefallen.«

»Hast du die Ziegel dann wieder auf dem Dach festgemacht?«, fragt Jan.

»Nein«, sagt Papa. »Ich habe die lockeren Dachziegel heruntergeholt und die Löcher mit Folie ausgestopft. Die Dachziegel macht später der Dachdecker wieder fest.«

»Und was ist noch passiert?«, fragt Jan weiter.

Papa antwortet: »Ein großer Baum ist auf das Dach eines alten,

leeren Hauses gestürzt. Ich hab
den Baum mit der Motorsäge
zersägt.«
»Und was hast du dann mit dem
Baum gemacht?«, fragt Jan.
Papa berichtet: »Meine Kollegen
haben ihn mit einem Kranwagen
vom Dach heruntergeholt und ihn
mit einem großen Fahrzeug, einem Wechsellader, weggebracht.«
»Ich bring dich jetzt auch weg«,
sagt Jan. »Komm mit zum
Frühstück!«

Tag der offenen Tür

Heute gehen Jan und Papa zum Tag der offenen Tür bei der Feuerwehr.
Jan hat sein neues Feuerwehrkostüm an. Er trifft Stefan und Leonie
aus dem Kindergarten.

Leonie zeigt auf eine orangefarbene, große Matratze. »Was ist das?«
»Ein Sprungkissen«, weiß Jan. »Wenn das Treppenhaus brennt,
können die Leute aus dem Fenster da hineinspringen.«

Stefan hat ein Fahrzeug mit einer Leiter auf dem Dach entdeckt.
»Und was ist das?«

»Eine Drehleiter«, sagt Jan. »Kommt mit! Da ist Tom.«

Jan fragt Tom: »Dürfen wir rauf zum Rettungskorb?«

»Klar«, sagt Tom. »Aber schön einer nach dem anderen!«

Jan ist als Letzter dran. Oben im Rettungskorb hat er einen
tollen Überblick. Papa löscht mit einem Handfeuerlöschgerät
einen kleinen Brand.

Stefan und Leonie fahren bei Franka im
Löschgruppenfahrzeug mit. Und Felix
steht vor einer Wand mit zwei Löchern.

»Was macht Felix da?«, fragt Jan.

Tom sagt: »Felix übt mit den Kindern
Zielspritzen.«

»Da will ich auch mitmachen!«, ruft Jan.

»Lass mich sofort wieder runter.«

»Alles klar«, sagt Tom.